Mafalda 5

TUSQUETS EDITORES

© JOAQUÍN S. LAVADO, QUINO
EDITADO POR "TUSQUETS
EDITORES MÉXICO S.A. de C.V."
EDGAR ALLAN POE #91
COL. POLANCO 11560 MÉXICO D.F.
TEL.: 281-5344 FAX: 281-5592
IMPRESO EN MÉXICO.
PRINTED IN MEXICO.

-"Juro que no morí"
         Paul Mc Cartney

641

DEBIERA HABER UN DÍA A LA SEMANA EN QUE LOS INFORMATIVOS NOS ENGAÑARAN UN POCO DANDO BUENAS NOTICIAS

642

¿NOSOTROS VAMOS A SALIR A VERANEAR?

?

AH...

¿VERANEAR NOS VA A SALIR A NOSOTROS?..

¡HABLEMOS DE VERANEO, MAFALDA! ¡ME ENCANTA HABLAR DE SALIR A VERANEAR!... ¡CHARLAR DE LOS PREPARATIVOS!...

¡COMENTAR LAS EMOCIONES DEL VIAJE!... ¡ME PASARÍA LA VIDA HABLANDO DE TODO ESO Y DE NADA MÁS QUE DE TODO ESO!

PORQUE, ¿SABÉS? ¡LA SEMANA QUE VIENE ME VOY DE VERANEO!

¡QUÉ CASUALIDAD!

YO TAMBIÉN, SUSANITA

¿AH, SÍ?

MI TÍA CLARITA SE QUEDÓ SIN MUCHACHA, ADEMÁS TIENE REUMA Y UN HIJO EN VENEZUELA Y HOY EN CASA SE DESCOMPUSO LA TV ¿AUMENTÓ EL PAN? LEÍ QUE DORIS DAY.....

CONTAME, MAMÁ ¿CÓMO ES EL LUGAR DONDE VAMOS A VERANEAR?

¡AH,... ESTUPENDO!... ¡CON MARAVILLOSOS LAGOS RODEADOS DE MONTAÑAS Y BOSQUES HERMOSÍSIMOS!

¿Y QUIÉN HIZO TODO ESO TAN LINDO?

TODO ESO TAN LINDO LO HIZO DIOS

¡QUÉ LÁSTIMA QUE AQUÍ LE DIERAN LA LICITACIÓN A OTROS!

VOS, A LOS LAGOS DEL SUR; YO, A LA PLAYA..... ¿NO ES MARAVILLOSO ESO DE IRSE POR AHÍ A VERANEAR?

PORQUE,..... HAY QUE VER, QUE **NO CUALQUIERA** PUEDE PAGARSE UN VERANEO ¡¡NNÓ-NNÓ-NNÓ!!

¡AH! ¿Y ESO TE PARECE MARAVILLOSO? ¡PENSALO! ¿ES PARA ALEGRARSE? ¿EHÉ?

¡QUÉ QUERÉS!... ¡YO LO PIENSO...!¡Y TE JURO QUE ME AGARRA TODO POR AQUÍ UN STATUS!!...

¡ASÍ QUE MAÑANA SALÍS DE VERANEO PARA LOS LAGOS DEL SUR? ¡QUÉ BUENO!

SÍ, MI MAMÁ FUÉ ALLÁ CUANDO SE CASÓ Y DICE QUE ES MUY LINDO

¡¡ES QUE CUANDO UNO SE CASA, DEBE SER TODO TAN HERMOSO!!... ♩¿EHÉÉÉ, FELIPE?♫

¡¡NOOOOOOOOOO!!

¡TUMP!

¡JA'H!... ¡ESTE FELIPE!... ESTUVO GRACIOSO, ¿NO? ¡EL MUY BOBO NO SE DIÓ CUENTA QUE LO DIJE EN BROMA!

¡PERDEMOS EL TREN, MAFALDA! ¿QUÉ HACÉS AHÍ CON ESO?

QUERÍA QUE QUEDARA GUARDADO MIENTRAS ESTAMOS DE VACACIONES

¡MAH!...¡DEJALO ASÍ COMO ESTÁ Y VAMOS, QUE NO LE VA A PASAR NADA!...

¡DIOS LO OIGA!

¡LÁSTIMA QUE MAMÁ DUERMA, PAPÁ! ¡ES TODO TAN LINDO!...¡SEMBRADOS Y SEMBRADOS!...

¡EH!...¡Y VAQUITAS!

¡OH!...Y ESA POBRE GENTE!...¡QUÉ RANCHITO MISERABLE!...

"PINTORESCO", NENA, "PINTORESCO"

POR ESTA ZONA EL PANORAMA SE PUSO UN POCO TRISTE, ¿NO, PAPÁ?

649

SÍ, LA TIERRA NO ES MUY FÉRTIL, AUNQUE HAY MUCHA RIQUEZA; OÍSTE HABLAR DEL PETRÓLEO, SUPONGO

¿PETRÓLEO? SÍ, CLARO. Y MÁS DE UNA VEZ......

.....POR ESTA ZONA EL PANORAMA SE PUSO UN POCO ESPESO, ¿NO, PAPÁ?

ZAPALA

650

¡BUENO!

¿POR QUÉ BAJAMOS ACÁ?

PORQUE DESDE AQUÍ EMPEZAMOS A RECORRER EN ÓMNIBUS LA ZONA DE LOS LAGOS

¿AH! ¿NO SEGUIMOS MÁS EN EL TREN?

NO

ENTONCES ESPEREN

?

ADIÓS... Y PERDONÁ EL DÉFICIT

651

¿Y, MAFALDA? ¿QUÉ TE PARECE?

¡¡DIOS MÍO!! ¡ESTO ES TAN HERMOSO, QUE LOS HOMBRES SE LAS VAN A VER EN FIGURILLAS PARA ECHARLO A PERDER!

652

¿POR QUÉ HAY TANTAS FLORES? ¿POR QUÉ ES TODO TAN LINDO ACÁ?

SEGÚN CUENTA UNA LEYENDA, CUANDO DIOS ESTABA HACIENDO EL MUNDO SE SENTÓ A DESCANSAR POR AQUÍ, SE QUEDÓ DORMIDO....Y SIN QUE SE DIERA CUENTA SE LE CAYERON TODAS ESTAS COSAS HERMOSAS

ESA LEYENDA.... ¿NO ADVIERTE NADA SOBRE RECLAMOS PASADAS 48 HORAS?

655

¿Y NUNCA SE TE OCURRIÓ CONSULTAR A UN PSICOANALISTA?

QUINO

PENSAR QUE ESTOS ARBOLAZOS COMENZARON SIENDO ASÍ DE CHIQUITOS

656

DE AQUÍ A QUE ESTA PLANTITA HAYA ALCANZADO SEMEJANTE TAMAÑO, ¿QUÉ HABRÁ OCURRIDO CON LA HUMANIDAD?

¡TIC!

¡VAYA HORÓSCOPO!

QUINO

¿Y SI EN VEZ DE VOLVER A CASA NOS QUEDÁRAMOS A VIVIR AQUÍ? ¡ES TODO TAN LINDO!...

NO PODEMOS, MAFALDA. A PAPÁ SE LE ACABAN LAS VACACIONES Y DEBE VOLVER A LA OFICINA; Y VOS A LA ESCUELA Y YO A OCUPARME DE LA CASA

¡¡BUENO, PERO LA IDEA DE MAFALDA, PENSÁNDOLA BIEN... ¿EHÉÉÉ?

¿EHÉÉ?

¡FUERON UNAS VACACIONES MARAVILLOSAS, MIGUELITO! AQUÍ ESTOY JUNTO A UNO DE ESOS ÁRBOLES QUE TE CONTABA

ES ASOMBROSO QUE UN ÁRBOL PUEDA CRECER TANTO, ¿NO?

BUENO, DESPUÉS DE TODO, ¿EN QUÉ OTRA COSA PUEDE EMPLEAR SU TIEMPO UN ÁRBOL?

HOLA, ¿QUÉ LES PASA A TODOS?

QUE DENTRO DE UNA SEMANA EMPIEZAN LAS CLASES

YA VEO QUE SERÁ UNA LARGA SEMANA DE EXTREMAR PRECAUCIONES PARA NO ANDAR PISANDO ÁNIMOS

NO ES POSIBLE QUE PORQUE EL LUNES EMPEZAMOS A IR A LA ESCUELA ESTEMOS TAN ALICAÍDOS, FELIPE

HAY QUE SOBREPONERSE Y COMPRENDER QUE, DESPUÉS DE TODO, VAMOS POR NUESTRO BIEN ¡SÍ, SEÑOR!

¡SÍ YA LO SÉ!...;¡SI A MÍ LO QUE ME AMARGA NO ES IR DURANTE EL AÑO ENTERO A LA ESCUELA,...NI EL ESTUDIO, NI LA MAESTRA, NI LOS DEBERES, NI NADA DE ESO!

SI NO TODOS ESOS MALDITOS DÍAS DE CLASE!

¡Y POR QUÉ JUSTAMENTE **YO** TENGO QUE IR A LA ESCUELA?; SI LO ÚNICO QUE PRETENDO DE LA VIDA ES CASARME Y TENER HIJITOS!

663

SI SOLO ME ENSEÑARAN A LEER Y SACAR CUENTAS,...¡BUENO!...ES ÚTIL PARA CUANDO VAYA A HACER LAS COMPRAS

PERO¿Y TODO LO DEMÁS?¡DÍGANME! ¿DE QUÉ ME SIRVE TODO LO DEMÁS? ¡A VER!

¡ALGUIEN QUE ME EXPLIQUE CÓMO CONGENIAR PRÓCERES CON RAVIOLES!

NO HAY QUE AMARGARSE PORQUE EMPIEZAN LAS CLASES, MANOLITO. ES POR NUESTRO BIEN QUE DEBEMOS ESTUDIAR

¡SERÁ, PERO CUESTA!

664

CUESTA, SÍ; PERO ESO ES LO BUENO: LIBRAR LA BATALLA CONTRA LA IGNORANCIA...¡Y VENCERLA!

BUENO, PERO LA POSICIÓN DE MANOLITO ES BASTANTE PECULIAR EN ESA BATALLA

HAY QUE COMPRENDER QUE EL POBRE LLEVA EL ENEMIGO SOBRE LOS HOMBROS

¡TOC! ¡TOC!

QUINO

GUARDAPOLVOS Y DELANTALES

BIEN, LLEVO ESTE

¿ESTE?

P-PE-PERO.... ¿ESTE?

665

SÍ, MAFALDA, ESE. LEVANTÁNDOLE EL DOBLADILLO Y ACORTÁNDOLE LAS MANGAS TE SERVIRÁ TAMBIÉN PARA EL AÑO QUE VIENE

¡ME NIEGO A QUE ME ANDEN COSIENDO Y DESCOSIENDO EL PORVENIR!

QUINO

BUEEEENO.... DOS DÍAS MÁS Y.... ¡A CLASE!

¿QUÉ SENTIRÁ UN PARACAIDISTA DOS METROS ANTES DE LLEGAR AL SUELO CON EL PARACAÍDAS CERRADO?

¡SOS UN PAPANATAS, FELIPE!...¡MIRÁ QUE ENAMORARTE DE TU MAESTRA!...¡ESA ES DE LAS QUE SON LINDAS POR FUERA!

¡PORQUE LA GENTE SE DIVIDE EN LINDOS POR FUERA...

....¡Y LINDOS POR DENTRO!

BUENO,....TAMBIÉN ESTAMOS LOS LINDOS REVERSIBLES

¡JÁH!.¡ASÍ QUE TE HAS ENAMORADO DE TU MAESTRA,¿EH?.¡PUES YO ME RÍO!.¿VES? ¡JÁH!.¡JÁH!

672

¡SOS UN PAPANATAS Y TE ODIO!

¡MCHUiiiK!

¡ESTÚPIDO! ¡SÑÍG!

LOS OTROS DÍAS LEÍ EN EL DIARIO CÓMO FUNCIONA LA CAJA DE CAMBIOS DEL "FORD-LOTUS" Y TAMPOCO ENTENDÍ UN PITO

QUINO

HOLA, MIGUELITO. VENGO A VER SI NECESITÁS ALGUNA AYUDA CON TUS DEBERES DE PRIMER GRADO

JUSTAMENTE LOS ESTOY HACIENDO. PASÁ

673

TENGO QUE COPIAR DOS VECES ESA FRASE DE AHÍ, ¿VES?

mi mamá me ama

¡MIGUELITO!... ¡COMO DESPUÉS DE HACER LOS DEBERES DEJES TODO TIRADO POR AHÍ, VAS A VER LA QUE TE ESPERA! ¿EH?

NO ES UNA FRASE MUY COMPROMETIDA CON LA REALIDAD, PERO.....¡EN FIN!....

674

¡MÍA!

¡TUP!

FSSSSSSSSSS.

BUENO, PERO... ¡QUÉ HONOR PARA LA PELOTA!

FFSSSSS....

685.

¡ESCÚCHENME TODOS! ¡SOY EL FAMOSO TROMPETISTA DE COLOR!

TUUUT-TUEEET-TUUUTÚT
TUET-TUT-TUT-TUTUTÚTUT
TUUT-TÚT-TUT-TUEET-TÚT
TUUUUUUUUUUUUUT
TUTUTÚ-TUET-TUEET-TÚT
TUT-TUT-TUUUT-TUTUTÚT

¡QUÉ MANGA DE RACISTAS!

EMPIEZA EL OTOÑO, MANOLITO, ...TAN POÉTICO.... ....TAN GRIS....

....¡TAN PARECIDO A UNA DEVALUACIÓN!....

ACABO DE ENCON-
TRAR ALGO QUE SE
TE CAYÓ DE LA
CABEZA, MIGUELITO

¿DE LA
CABEZA?...
¿QUÉ ES?

ESTO, TENDRÁS
QUE CUIDARTE
DURANTE EL
OTOÑO PARA
NO QUEDARTE
CALVO

¡JHÁ-JHÁ
JHÁ-JHÁ!...

678

¡Y AHORA, CON
USTEDES, EL
FAMOSO TROM-
PETISTA DE
COLOR!......

TUET-TUT-TUT
TÚTÚÚÚÚ-TUT-
TUTÚTUT-TUT-
TUEET-TUEET-
TUT-TUUUTUT
TÚUUUUUUT
TUT

¡BASTA,
CON ESA
TROMPETITA!

¿EL JAZZ
TE ENTRISTECE?

¡Y AQUÍ NO HAY ESCALAFÓN QUE VALGA..... TODO EL MUNDO DEBE RESIGNARSE A SER DURANTE TODA LA VIDA, SU PROPIO PEÓN DE LIMPIEZA!

HOLA, SOY EL FAMOSO TROMPETISTA DE COLOR ¿TE GUSTARÍA ESCUCHAR ALGO? ¿SÍÍÍÍ? ¡MUY BIEN!

TUT-TÚT-TÚT-TÚT-TÚT-TUTÚTU-TUET TÚTUTÚÚÚÚTUT TUT-TUT-TUT-TUTÚ TÚT-TUT

¡CLARO!... ¡ES QUE ESTA PLAZA NO TIENE ACÚSTICA!

¡ZA'S!.. ¡QUIÉN VIENE ALLÍ!...

¿QUIÉN?

¡AH!...

TUT-TUT-TUTUET TUUUUT-TUUUTUT TUET-TUTÚTUT-TUT TUTÚ-TUTUT-TUTUT

¡EL FAMOSO TROMPETISTA DE COLOR!.

Y AHORA ESCUCHARÁN USTEDES AL FAMOSO TROMPETISTA DE COLOR....

¡UF!...
, AG!...
,¡UF!...

¡PUF!...
...¡UF!...
...¡PUF!...

BUENAS, MAFALDA

?

.... ACABAN USTEDES DE ESCUCHAR, EN VERSIÓN DE LOUIS ARMSTRONG....

BUEN DÍA, NENA. ¿ESTÁ EL JEFE DE LA FAMILIA?

EN ESTA FAMILIA NO HAY JEFES; SOMOS UNA COOPERATIVA

¡POM!

ENTONCES.... EN AQUEL CURSO DE VENTAS NO ESTABAN TODAS LAS RESPUESTAS

683

TENGO UNA ADIVINANZA

VEAMOS

684

"UNA SEÑOR

¡LA LUNA!

¡VOS LA SABÍAS, PERO ELLA NO! ¿NO PODÍAS CALLARTE?

¿PARA QUÉ? TARDE O TEMPRANO, ALGUIEN LE HUBIERA VENIDO CON EL CHISME

MÁS INFORMACIONES, CORRESPONDEN AL EXTERIOR

LA UNIÓN SOVIÉTICA RECHAZÓ HOY... "UNA PROPUESTA DE ESTADOS UNIDOS"

...UNA PROPUESTA DE ESTADOS UNIDOS

¡AHÍ ESTÁ! ¿NO TE DIGO?

LO BUENO QUE TIENE ESTE MUNDO ES QUE ¡ÑIC!, FUNCIONA COMO UN RELOJ

685

¿SABÉS, MANOLITO? ESTABA PENSANDO...

¿EN QUÉ?

EN QUE SI JUNTAMOS TOOOOOODO LO QUE HICISTE EL AÑO PASADO EN LA ESCUELA...

...Y A ESO SUMAMOS...

.... TOOOOOODO LO QUE HAS HECHO EN ESTAS SEMANAS QUE VAN DE CLASES....

...MÁS O MENOS POR ESTOS DÍAS DEBES ESTAR POR CUMPLIR TUS BESTIALIDADES DE PLATA, ¿NO?

686

¡ESE CASCO LLENO DE AGUJEROS NO SIRVE; DEJA ENTRAR TODAS LAS BALAS!

PERO DEJA SALIR TODAS LAS IDEAS

PRIMERO EXPLOTÓ EL CALEFÓN Y VOLÓ LA MITAD DE MI CASA,....

...LUEGO REVENTARON LAS CAÑERÍAS Y SE INUNDÓ TODO EL RESTO, MIENTRAS UN CORTOCIRCUITO INCENDIABA LO QUE SOBRESALÍA DEL AGUA,...

...MÁS TARDE VINIERON UNOS LADRONES Y NOS ROBARON LO QUE QUEDABA,...

...Y DESPUÉS, AL BORRAR UN POCO SE ME ROMPIÓ LA HOJA DEL DEBER, SEÑORITA

VOS, QUE SIEMPRE ANDÁS DALE QUE DALE CON EL ALMACÉN DE TU PAPÁ, LA PLATA Y LOS NEGOCIOS, ESCUCHÁ ESTO QUE VOY A LEERTE

"EL DINERO NO HACE LA FELICIDAD"

SÍ,.... SÍ ESO YA LO SÉ.....

.... PERO A MÍ LO QUE ME ENTUSIASMA ES LA MAÑA QUE SE DA PARA IMITARLA

ES EXTRAÑO;..... ASÍ, DE GOLPE, ME HE ACORDADO DE LOS QUE MANEJAN LA POLÍTICA MUNDIAL

"Víctor ve la uva de la viña.
—¿Es buena esa uva, Don Braulio?"

"—Sí, Víctor, esa uva es buena.
—¡Don Braulio, vea los barriles de buen vino!"

HABRÍA QUE LEVANTAR UN MONUMENTO A ESTOS SACRIFICADOS AUTORES QUE EN VEZ DE ESCRIBIR COSAS TRASCENDENTES PREFIEREN ENSEÑARNOS A LEER

691

...Y ESTE HA SIDO EL PANORAMA MUNDIAL

692

¡MAFALDA!... ¿HAS ESTADO SACANDO MIS CREMAS?

LAS DE EMBELLECER, SOLAMENTE

¿QUÉ HARÍAS SI DE PRONTO APARECIERA UN PLATO VOLADOR?

¿EH, SUSANITA?

¿QUÉ HARÍAS SI SERES DE OTRO PLANETA BAJARAN E INTENTARAN LLEVARNOS A **SU** MUNDO?

¡NO HARÍA NADA! ¡PORQUE NO CREO QUE **NADIE** VIVA EN OTRO PLANETA, NI QUE **NADIE** BAJE PARA LLEVARNOS A **NINGÚN** MUNDO, NI CREO **NADA** DE ESAS ESTUPIDECES! ¿ENTENDÉS?

NO QUIERO ECHARTE, FELIPE, PERO SON LAS CUATRO Y MEDIA, ¿NO TENDRÍAS QUE IRTE A TU CASA A HACER LOS DEBERES?

HAY TIEMPO

SEIS MENOS DIEZ, FELIPE,..... TUS DEBERES

ENSEGUIDA VOY Y LOS HAGO EN DOS PATADAS

¡PERO FELIPE! ¡MIRÁ QUE SON LAS SIETE Y VEINTE!

¡NO!... ¿YA?

¡PERO CÓMO!...¡LAS CUENTAS!...¡SUJETO Y PREDICADO!...¡EL MAPA!...¡¿Y AHORA CÓMO HAGO?!

ENTERNECE VERLO CON TODA ESA IDIOSINCRACIA NACIONAL

¿A QUÉ PODRÍAMOS JUGAR?

¡YA ESTÁ! ¡JUGUEMOS A CUALQUIER COSA! ¿EÉH? ¡SERÍA BUENO! ¿NO? ¡VAMOS! ¿EÉÉH?

SÍ, BUENO, PERO, ¿A QUÉ?

¡QUÉ SÉ YO! ¿DESDE CUÁNDO LOS ENTUSIASTAS TENEMOS QUE DAR SOLUCIONES?

MAMÁ

¿QUÉ?

NADA. SÓLO QUERÍA CERCIORARME DE QUE AÚN HAY UNA **BUENA** PALABRA QUE CONTINÚA EN VIGENCIA

 PAPÁ, SI LA CIGÜEÑA TRAE A TODO EL MUNDO DESDE PARÍS, HASTA QUE LLEGAMOS Y NOS ANOTAN AQUÍ SOMOS TODOS FRANCESES, ¿NO?

 OUÍ

 YA ME PARECÍA

 NECESITO QUE ME ACONSEJES, MAFALDA — VEAMOS DE QUÉ SE TRATA, SUSANITA

 DECÍME,..... ¿QUÉ PUEDO HACER CON UNA PERSONALIDAD TAN INTERESANTE COMO LA MÍA?

HOY NO TENGO GANAS DE IR A TRABAJAR, ASÍ QUE PIENSO QUEDARME EN LA CAMA ¡ESO ES!

903

BUENO, MEJOR ME LEVANTO A PREPARAR EL DESAYUNO, SI NO DESPUÉS ANDÁS A LAS CORRIDAS PARA NO LLEGAR TARDE A LA OFICINA

EL MATRIMONIO ESTÁ LLENO DE PEQUEÑOS SOBREENTENDIDOS

¿QUÉ VAS A HACER, MAFALDA?

JUGAR A LA LIBERTAD

¿A LA LIBERTAD? ¿Y CÓMO?

PUES ASÍ....

...CON UNA LAMPARITA QUEMADA EN LA DERECHA...

....Y UN LIBRO DE CUENTOS EN LA IZQUIERDA

¿Y A ESTA QUÉ LE PASA?

DICE QUE ES LA LIBERTAD ILUMINANDO AL MUNDO

¿ILUMINANDO AL MUNDO? ¡PERO SI ESA LAMPARITA ESTÁ QUEMADA!...

¡CLARO!... ¡LA MALDITA TENSIÓN MUNDIAL!...

¿SE PUEDE SABER QUÉ DIABLOS HACÉS AHÍ?

SOY LA LIBERTAD

706

¡¡LA LIBERTAD!!... ¿SABÉS CÓMO VAS A QUEDAR SI TE CAÉS DE AHÍ Y SE TE REVIENTA ESA LAMPARITA?

SÍ,.... COMO LA LIBERTAD

¿QUIÉN SE SUPONE QUE SOS?

¡LA LIBERTAD, ILUMINANDO AL MUNDO CON SU REFULGENTE LUZ!.....

...DE 15 WATTS

¡BASTA YA CON ESO DE QUE SOS LA LIBERTAD!...¡Y BAJATE DE AHÍ, QUE PODÉS CAERTE!

708

ADEMÁS LA LIBERTAD TIENE QUE SER GRANDE; Y VOS SOS CHICA

¿CHICA?

¡FUNCIONAL!

¿HAN PROBADO UDS. LOS EXCELENTES GARBANZOS PARA EJECUTIVOS QUE VENDE *ALMACÉN "DON MANOLO"*?

HOY MI MAESTRA VINO CON LA NOTICIA DE QUE COLÓN DESCUBRIÓ AMÉRICA

PERO RESULTA QUE ESO FUÉ EN 1492

¡1492! ¿TE DAS CUENTA?

¡A MI MAESTRA LE FALTA LA AGILIDAD INFORMATIVA DE LA UNITED PRESS!

¡YO NO PRETENDO QUE LA MAESTRA NOS TRAIGA LOS MAS RECIENTES DESCUBRIMIENTOS ESPACIALES, PERO ESO DE QUE VENGA Y DIGA......

"CRISTÓBAL COLÓN DESCUBRIÓ AMÉRICA EN MIL CUATROCIENTOS NOVENTA Y DOS"

... NO ES PRECISAMENTE UN CABLE DE ÚLTIMO MOMENTO! ¿NO?

¡YO CREÍ QUE LA ESCUELA ERA OTRA COSA.....Y NO UN LUGAR EN QUE ENSEÑAN VEJECES!

¡QUE COLÓN, QUE LOS CONQUISTADORES, QUE LOS INDIOS, QUE TAL BATALLA, QUE TAL OTRA!... ¡TODO DEL TIEMPO DE ÑAUPA!

¡PERO ASÍ ES LA HISTORIA, HOMBRE! ¿CÓMO QUERÉS QUE TE LA ENSEÑEN?

¡PARA ADELANTE!

¡IIÚÚJHUU!

¿QUÉ ES, PAPÁ? ¿QUÉ HAS TRAÍDO?

AH,....¿EL MONUMENTO A LA SITUACIÓN INTERNACIONAL?

715

¡CON RAZÓN LOS CHINOS QUIEREN CAMBIAR EL MUNDO!

716

CUANDO SEA GRANDE VOY A CASARME CON UN INDUSTRIAL QUE TENGA MUCHOS, PERO MUCHOS MILLONES

PERO LUEGO, EN UN VIAJE POR NEGOCIOS, ÉL SE ESTRELLARÁ CON SU AVIÓN PARTICULAR Y YO QUEDARÉ VIUDA,....¡DIOS MÍO!

¡BUÁÁÁÁ!...

¡SÑÍF!..

AY-AY-AY,... ¡QUÉ VIDA ESTA!

¡QUÉ MUNDO ESTE!.... NOSOTROS COMEMOS TURRÓN MIENTRAS OTROS NO TIENEN QUÉ LLEVARSE A LA BOCA

¡VOS SIEMPRE IGUAL!

IGUAL NO, ¡AYER ERA MÁS JOVEN!

719

AQUÍ DICE QUE UN CONFLICTO NUCLEAR PODRÍA PROVOCAR LA MUERTE DE UNOS 700 MILLONES DE PERSONAS

¿700 MILLONES DE PERSONAS TODAS JUNTAS MUERTAS AL MISMO TIEMPO?

ASÍ PARECE

¡QUÉ ASCO! ¡EN SEMEJANTE PROMISCUIDAD, QUIÉN SABE QUÉ GENTUZA LE TOCA A UNO COMO COMPAÑERA DE MASACRE!

720

ESTA MAÑANA LA MAESTRA CREYÓ QUE ERA YO LA QUE ESTABA CONVERSANDO EN CLASE Y ME RETÓ

LUEGO, AL MEDIODÍA LLEGUÉ A CASA Y ¡ZÁS!...¡MI MAMÁ HABÍA HECHO SOPA!

A LA TARDE VINO SUSANITA Y CON EL BRAZO DEL TOCADISCOS ME RAYÓ EL LONG-PLAY DE LOS BEATLES

REALMENTE,....HA SIDO UNO DE ESOS DÍAS EN QUE LO MALO DE UNO SON LOS DEMÁS

CUANDO SEA GRANDE VOY A CASARME CON UN INDUSTRIAL QUE TENGA MUCHOS, PERO MUCHOS MILLONES

PERO LUEGO, EN UN VIAJE POR NEGOCIOS, ÉL SE ESTRELLARÁ CON SU AVIÓN PARTICULAR Y YO QUEDARÉ VIUDA,.... ¡DIOS MÍO!

¡BUÁÁÁÁ!...

¡SÑÍF!..

AY-AY-AY,... ¡QUÉ VIDA ESTA!

¡QUÉ MUNDO ESTE!.... NOSOTROS COMEMOS TURRÓN MIENTRAS OTROS NO TIENEN QUÉ LLEVARSE A LA BOCA

¡VOS SIEMPRE IGUAL!

¡IGUAL NO, ¡AYER ERA MÁS JOVEN!

AQUÍ DICE QUE UN CONFLICTO NUCLEAR PODRÍA PROVOCAR LA MUERTE DE UNOS 700 MILLONES DE PERSONAS

¿700 MILLONES DE PERSONAS TODAS JUNTAS MUERTAS AL MISMO TIEMPO?

ASÍ PARECE

¡QUÉ ASCO! ¡EN SEMEJANTE PROMISCUIDAD, QUIÉN SABE QUÉ GENTUZA LE TOCA A UNO COMO COMPAÑERA DE MASACRE!

ESTA MAÑANA LA MAESTRA CREYÓ QUE ERA YO LA QUE ESTABA CONVERSANDO EN CLASE Y ME RETÓ

LUEGO, AL MEDIODÍA LLEGUÉ A CASA Y ¡ZÁS!... ¡MI MAMÁ HABÍA HECHO SOPA!

A LA TARDE VINO SUSANITA Y CON EL BRAZO DEL TOCADISCOS ME RAYÓ EL LONG-PLAY DE *LOS BEATLES*

REALMENTE,....HA SIDO UNO DE ESOS DÍAS EN QUE LO MALO DE UNO SON LOS DEMÁS

¡QUÉ RARO, MAFALDA! ¿VOS JUGANDO A LA MAMÁ?

BUENO, PUES... SÍ

DE VEZ EN CUANDO CONVIENE SACAR A PASEAR UN POCO EL INSTINTO

BUENO,.... YO NACÍ, Y A LOS CINCO MESES ME SALIÓ EL PRIMER DIENTE

LUEGO, A LOS DOS AÑOS, YA HABLABA BASTANTE BIEN. DESPUÉS FUÍ AL JARDÍN DE INFANTES....

..AHORA VOY AL PRIMER GRADO DE LA ESCUELA Y, ¡EN FIN!... ESO ES TODO

LO MALO DE SER CHICO ES QUE UNO TERMINA DE CONTAR SU VIDA EN DOS PATADAS

¿NOSOTROS LLEVAMOS UNA VIDA DECENTE, MAMÁ?

¡POR SUPUESTO!

¿Y HACIA **DONDE** LA LLEVAMOS?

¡ESTOY HARTO DE LA ESCUELA! ¿ENTIENDEN? ¡HARTO!

¡ASÍ QUE **FINISH**!... ¡NO VOY **MÁS**!

¡Y NO ME VENGAN CON DISCURSITOS, PORQUE NO ME VAN A CONVENCER!

¡HAY QUE VER LA ORATORIA QUE TIENE LA ZAPATILLA DE MI MAMÁ!

759

¿QUÉ PASA, MIGUELITO? ¿QUÉ HACÉS AHÍ ABAJO?

TENGO MIEDO DEL IMPUESTO A TODO

760

"LA VIDA COMIENZA A LOS CUARENTA"

¡¿Y ENTONCES PARA QUÉ CUERNOS NOS HACEN VENIR CON TANTA ANTICIPACIÓN?!

...¡ENTRA AL ÁREA CON PELOTA DOMINADA!, ¡SALE A MARCARLO UN HOMBRE! ¡LO ELUDE! ¡PELIGRO! ¡VA A REMATAR!!!..

A VECES ME PREGUNTO SI ESTOY REALMENTE EN BUENAS MANOS

ESCUCHÁ ESTO, MIGUELITO: "EL METEORÓLOGO MORRIS SUGER, DE LA UNIVERSIDAD DE CALIFORNIA..."

"...DECLARÓ QUE LA CONTAMINACIÓN INDUSTRIAL DEL AIRE..."

"...PODRÍA EXTERMINAR A LA HUMANIDAD PARA EL AÑO 2064"

ME PREGUNTO QUÉ HARÉ YO, VIEJITO Y SOLO, EN TODO ESTE MUNDO DESPOBLADO

HOY MÍ MAESTRA NOS ENSEÑÓ QUE DOS MÁS DOS ES CUATRO

LUEGO NOS HIZO PASAR A VARIOS CHICOS AL PIZARRÓN PARA QUE SUMÁRAMOS "DOS MÁS DOS CUATRO

DESPUÉS TOOOOOODOS COPIAMOS EN NUESTROS CUADERNOS: "DOS MÁS DOS: CUATRO"

TE JURO QUE NUNCA ME SENTÍ TAN LEJOS DE VON BRAUN

COMO SIEMPRE, APENAS UNO PONE LOS PIES EN LA TIERRA SE ACABA LA DIVERSION

MI TÍA CLARITA TIENE UNAS TAZAS CHINAS, PARA TÉ, ¡DIVINAS!

SON DE CUANDO LOS CHINOS HACÍAN COSAS LINDAS, PORQUE ANTES LOS CHINOS NO ERAN MALOS, NO

PERO PARECE QUE LUEGO, LA VIDA, LAS MALAS COMPAÑÍAS, ¡EN FIN!....

YO NO SÉ QUÉ LE PASÓ A ESOS MUCHACHOS

¡LES ADVIERTO QUE ESTA VEZ VA EN SERIO!

¡NO VOY MÁS A LA ESCUELA!... ¡Y SAN SE ACABÓ!

¡OYE! ¿VES ESTO?

HOY EN DÍA ESTÁN MUY EN BOGA LOS MÉTODOS AUDIOVISUALES

HABÍA UN NO SÉ QUÉ DE ENCÍCLICA PAPAL EN ESA MIRADA

BUENO, SI VOS DECÍS QUE ES **ÁRBOL**, Y NO **HÁRBOL**, LE BORRO LA **H** ¿TENDRÍAS UNA GOMA?

TOMÁ

GRACIAS

YIP-YIP-YIP-YIP-YIP-YIP YIP-YIP-YIP-YIP-YIP YIP-YIP-YIP-YIP-YIP YIP-YIP-YIP-YIP-YIP YIP-YIP-YIP

YIP-YIP-YIP-YIP-YIP-YIP YIP-YIP-YIP-YIP-YIP YIP-YIP-YIP-YIP-YIP YIP-YIP-YIP-YIP

YIP-YIP-YIP-YIP-YIP YIP-YIP-YIP-YIP-YIP YIP-YIP-YIP-YIP YIP-YIP-YIP-YIP

TAL VEZ LA MAESTRA TIENE RAZÓN CUANDO ME DICE LO DEL TAMAÑO DE MI LETRA

ADIÓS, MIGUELITO ¿ADÓNDE VAS TAN CONTENTO?

¡A JUNTAR TIERRA, PARA LUEGO ECHARLE AGUA Y JUGAR CON BARRO!

A PROPÓSITO, QUISIERA PEDIRLES ALGO

¿QUÉ?

SI DESPUÉS LLEGAMOS A ENCONTRARNOS RECUÉRDENME EN **ESTA**, MI VERSIÓN ORIGINAL

¿CUÁNTOS PAÍSES HAY EN EL MUNDO, PAPÁ?

NO SÉ MUY BIEN,.. PERO HABRÁ UNOS 150, MÁS O MENOS

¿TANTOS?

ENTONCES EL PORCENTAJE DE PAÍSES QUE SIEMPRE FASTIDIAN ES MÁS BAJO DE LO QUE YO CREÍA

EN VIAJE DE NEGOCIOS PARTE UN IMPORTANTE EJECUTIVO

¡EN FIN!.... ¡QUÉ VIDA ESTA!

EN LUGAR DE HACER LOS DEBERES ME PASO EL DÍA LEYENDO HISTORIETAS.... ¡ESTO NO PUEDE SER!

¡NO ES POSIBLE QUE NO TENGA VOLUNTAD, NO SEÑOR!

¿QUÉ SOY AL FIN: UN HOMBRE O UN RATÓN?

NORUEGA. NADIE HABLA DE NORUEGA

LA GENTE HABLA DE PAÍSES EN LOS QUE HAY BOMBAS, HUELGAS, ASALTOS, CAÑONAZOS, CRÍMENES, RACISMO, REVOLUCIONES,.....

PERO DE NORUEGA, NI A

ESTÁ VISTO QUE LA VIOLENCIA TIENE MÁS *RATING* QUE EL BACALAO

TOMÁ, MAFALDA, MEDIO TURRÓN PARA MÍ, MEDIO PARA VOS

OH, GRACIAS, SUSANITA

¡CROCK! ¡CROMPF! ¡GULP!

785

CROC CRUC

¡AAAAH!

CRUP CROK

CRAC CRUCH

¡MALDITA SEA MI BONDAD!

VAS A VER, A QUE ESA SOMBRA ES LA HIJA DEL CACIQUE QUE VA A DESATAR AL MUCHACHO ¿VISTE? ¡ES!

VAS A VER, A QUE AHORA ELLA CORTA LAS SOGAS CON SU PUÑAL ¡AHÍ ESTÁ!

VAS A VER, A QUE ANTES DE HUIR ÉL LA BESA ¡¿NO TE DIJE?!

788

VAS A VER, A QUE AHORA EL CENTINELA SIOUX SE DESPIERTA Y.....

¡¡VAS A VER!!

QUINO

...Y ESTE HA SIDO EL PANORAMA MUNDIAL A TRAVÉS DE LAS NOTICIAS

CON TANTOS DISGUSTOS EL POBRE ENFLAQUECE

HOLA, MAFALDA, DECIME UNA COSA

SI UNO HA COMPRADO CARAMELOS ¿NO?

COMO ESTOS, POR EJEMPLO

¿DEBE PAGAR RÉDITOS?

ACABA DE PASAR LA PAZ EN UN CAJONCITO

FRAGIL

¡UN SAFARI! ¡ESO SÍ QUE ME GUSTARÍA!

¡YA ME VEO FRENTE A UNA BESTIA ENFURECIDA! ¿QUÉ HARÍA YO, FELIPE, FRENTE A UNA BESTIA ENFURECIDA?

¡QUÉ SÉ YO QUÉ HARÍA!..... LA COBARDÍA TIENE TANTOS MATICES......

TENGO UN CUENTO GRACIOSÍSIMO: RESULTA QUE HAY UN TIPO ESCUCHANDO UN DISCO......

¡JA-JA-JA! ¡UN DISCO!...¡ES BUENÍSIMO! ¡JA-JA!

¡NO HE TERMINADO, SUSANITA!!

AH

Y VIENE OTRO Y LE DICE: "¡PERO HOMBRE! ¿CÓMO ESCUCHA ESE DISCO, NO OYE QUE ESTÁ RAYADO?"

ENTONCES EL TIPO CONTESTA: "...¿Y A USTED QUÉ LE IMPORTA,....TED QUÉ LE IMPORTA,....TED QUÉ LE IMPORTA,....TED QUÉ LE IMPORTA,.... ¡JA-JA! JA!

JI-JI

DALE, ¿Y ENTONCES?...

QUINO

EL MERCADO ESTÁ LLENO DE ASALTANTES QUE COBRAN LO QUE LES DA LA GANA ¡ESO ES LO QUE PASA!

¡JHÁ! ¿Y LOS QUE ENGAÑAN EN EL PESO? ¡PORQUE TAMBIÉN ESTÁN LOS QUE ENGAÑAN EN EL PESO!

¡¡CALUMNIAS!!

QUINO

¿ESTARÉ EMPEZANDO A SER MÁS JOVEN QUE MI CUERPO?

ES EXTRAÑO; ME AGACHÉ A RECOGER UN LIBRO Y AL LEVANTARME ME DIÓ UNA PUNTADA EN LA CINTURA

BUENO, ¡Y QUÉ!.. A MI EDAD NO VOY A PENSAR QUE ESTOY VIEJO. DEBO HABER PESCADO UNA CORRIENTE DE AIRE

¡CLARO, ESO FUÉ! SEGURAMENTE ALGUIEN DEJÓ UNA PUERTA ABIERTA Y SIN DARME CUENTA...

....ENTRARON TREINTAYSIETE AÑOS

¡GIMNASIA!... ¡ESO ES LO MEJOR PARA NO SENTIRSE UN VEJETE ANQUILOSADO

VEAMOS UNAS FLEXIONES

¡CRAC!

¿CRAC?

EN LA VIDA TODO ES CUESTIÓN DE TAMAÑO, MIGUELITO

SI FUÉRAMOS HORMIGAS ESTE CHARQUITO SERÍA PARA NOSOTROS COMO EL CANAL DE LA MANCHA

¿DE LA QUÉ?

QUISIERA PEDIRTE CONSEJO, MANOLITO. ANDO CON UN PROBLEMA

¿ALGO GRAVE, SUSANITA?

¿GRAVE? NO, NO, SI EN REALIDAD ES UN PROBLEMA MUY ESTÚPIDO

POR ESO PENSÉ QUE VOS PODÉS ENFOCARLO MEJOR QUE NADIE. RESULTA QUE.....

LA COMPUTADORA ZK-2-09 ACABA DE CONCLUIR LAS CUENTAS

CORRECTO, ENVÍALAS POR RAYO LASER A LA ESCUELA

BUENO, AHORA MISMO VOY A HACER LOS DEBERES

¡ESO ES!

SIR WILLIAM SHAKESPEARE OS TIENE LISTA LA COMPOSICIÓN SOBRE LA VACA, SIRE

O.K. RECOMPENSADLO CON ESTOS PENIQUES

¡YA MISMÍSIMO ME LEVANTO Y ME VOY A HACER LOS DEBERES!

¡SÍ, SEÑOR!

¡HE PERDIDO 32 HOMBRES Y UNA PIERNA, HERR MARISCAL, PERO LOGRÉ ARREBATAR AL ENEMIGO EL MAPA CON LOS PRINCIPALES RÍOS DE EUROPA!

GRACIAS, SCHULZ, PUEDE IRSE A TOMAR UNA BIECKERT, NO MÁS

BIEN: SEGÚN EL SORTEO, YO SERÉ EL ÁRBITRO; MAFALDA EL ARQUERO DE MIGUELITO; Y MANOLITO EL ARQUERO DE SUSANITA ¡QUE EMPIECE EL PARTIDO!

¡DALE, SUSANITA! ¡JUGÁ TRANQUILA, QUE AQUÍ TENÉS AL MOSHE DAYAN DE LOS GUARDAVALLAS!

¡TUP!

DIOS MÍO.... LO QUE DEBE SER LA POLÍTICA REFLEJADA EN ESTA TETERA

NO HAY CASO, POR MÁS QUE PIENSO, NO LOGRO IMAGINARME A 700 MILLONES DE CHINOS TODOS JUNTOS

904

VOY A EMPEZAR DE A POCO, A VER, POR EJEMPLO, 4 CHINOS

. . .

CADA PUNTITO, UN CHINO

¡BIEN! AHORA MÁS CHINOS

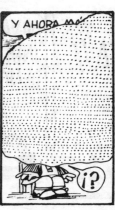

Y AHORA MÁS

¡?

¡SOCORRO!

¡UNA VA A COMPRAR CUALQUIER COSA Y ES UNA BARBARIDAD! ¡NO HAY PLATA QUE ALCANCE!

¡SON UNOS LADRONES! ¡Y LOS DEJAN COBRAR LO QUE LES DÁ LA GANA!...¡ESO ES LO QUE PASA!

905

¿A QUIÉN LE HABLAS, MAMÁ? ¿ESTÁS HABLANDO SOLA?

¡ESTOY HABLANDO A LOS COMERCIANTES, A LOS INTERMEDIARIOS, A LAS AUTORIDADES QUE PERMITEN.....

....QUE NOS ROBEN! ¡NO ESTOY HABLANDO SOLA, NO SEÑOR!

¡TE PARECE, MAMÁ, TE PARECE!

SI ÉL DIJERA QUE ES BUENA....

¡AQUÍ DIRÍAN QUE ES MALA Y LA PROHIBIRÍAN!

¿POR QUÉ ESE CRETINO DE FIDEL CASTRO NO DICE QUE LA SOPA ES BUENA?

¡YA ME VEO AL FRENTE DE MI CADENA DE SUPERMERCADOS! ¿TE IMAGINAS, MIGUELITO, CUANDO YO SEA TODO UN EJECUTIVO?

NO

¿QUÉ HACÉS, MAFALDA?

NADA, MAMÁ, ESTOY MIRANDO A LA HUMANIDAD

¿¿A LA HUMANIDAD??

¡TUC! ¡TUC! ¡TUC!

¡TUC! ¡TUC!

"DRAMÁTICA SITUACIÓN EN MEDIO ORIENTE" "MÁS VÍCTIMAS EN EL CONGO" "NUEVO CHOQUE RACIAL EN EE.UU" "DISTURBIOS EN PEKÍN" "BOMBARDEOS EN VIET-NAM".

¡TUC! ¡TUC!

¿TODAVÍA QUERÉS SALIR?

¡TUC!

823

NO TE AMARGUÉS, BICHO; LA HUMANIDAD TAMBIÉN SE LAS VE EN FIGURILLAS PARA SALIR ADELANTE Y SER LIBRE

¡TUC! ¡TUC! ¡TUC!

CLARO, LO QUE LA FRENA NO ES PRECISAMENTE UN VIDRIO

¡TUC! ¡TUC!

HABRÁS OÍDO HABLAR DE LOS "FACTORES DE PODER", SUPONGO

824

¿VES A ESTE POBRE BICHO TRATANDO DE SALIR Y SER LIBRE? ASÍ SOMOS LOS HUMANOS, SUSANITA

¡TUC! ¡TUC! ¡TUC! ¡TUC!

¡TUC! ¡TUC! ¡TUC!

¿Y SI LO MATAMOS? ¿EEEEEH?

ASÍ SOMOS LOS HUMANOS, MAFALDA

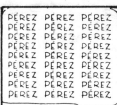

¡QUÉ BARBARIDAD, DIOS MÍO!...¡QUÉ BARBARIDAD!!

¡AQUÍ DICE QUE LA AMETRALLADORA FUE INVENTADA EN 1861 Y LA MÁQUINA DE ESCRIBIR EN 1868! ¿TE DAS CUENTA?

SE INVENTÓ **CÓMO MATAR RÁPIDO**, ANTES QUE **CÓMO ESCRIBIR RÁPIDO** ¡ES DEPRIMENTE!

DEPRIMENTE
DEPRIMENTE
DEPRIMENTE
DEPRIMENTE

EL POBRE AÚN NO SE ACOSTUMBRA A QUE ESTE MUNDO ES **ESTE MUNDO**

"CONÓCETE A TÍ MISMO"

BUEN CONSEJO

PERO HOY NO TENGO GANAS DE ANDAR HACIENDO TURISMO POR ADENTRO MÍO

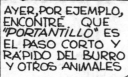

OJEANDO EL DICCIONARIO UNO APRENDE SIEMPRE COSAS NUEVAS

AYER, POR EJEMPLO, ENCONTRÉ QUE "PORTANTILLO" ES EL PASO CORTO Y RÁPIDO DEL BURRO Y OTROS ANIMALES

BUENO, ¿QUÉ DIABLOS LES PASA?

QUIERO ACLARARTE ALGO, MAFALDA

CUALQUIER PROBLEMA QUE LLEGUES A TENER, VENÍ A PEDIRME CONSEJO, QUE YO, CON MUCHO GUSTO, TRATARÉ DE AYUDARTE

Y NO ME AGRADEZCAS NADA, ¿EH? ¡TE LO RUEGO!

PORQUE ME ENCANTA QUE LA GENTE ME DÉ OPORTUNIDAD DE INMISCUIRME EN SU VIDA

ESTE MAPAMUNDI TIENE MUY LINDOS COLORES

HAY PAISES ROSADOS, ANARANJADOS, VERDES, AMARILLOS, LILAS,....

PAISES TODOS EN TONOS MUY BONITOS

... QUE NADA TIENEN QUE VER CON EL COLOR DE SUS INTENCIONES

PERO...¡LOS COLORES DE ESTE MAPAMUNDI ESTAN MAL!

¿TE PARECE?

¡CLARO, MIRÁ CHINA! ¡CHINA TENDRIA QUE ESTAR AMARILLA!... ¡O ROJA!...

¡PERO RESULTA QUE ESTÁ VERDE!

¡POR SUERTE, MIGUELITO! ¡¡POR SUERTE!!

¡LO ÚNICO QUE TE PREOCUPA ES EL ALMACÉN DE TU PAPÁ! ¿NO PODRÍAS PENSAR UN POCO EN OTRA COSA?

836

¿CÓMO ES POSIBLE QUE SÓLO TE INTERESEN LOS NEGOCIOS Y LA PLATA?

¿QUÉ SON PARA VOS TODAS LAS OTRAS COSAS LINDAS E IMPORTANTES DE LA VIDA?

¡SUPERFLUOSIDADES!

"PLANTEO: SI UN ALBAÑIL LEVANTA 2 MTS. DE PARED EN ½ DÍA, ¿CUÁNTOS MTS. LEVANTARÁ EN 3 DÍAS?"

VEAMOS: 3 DÍAS SON 6 MEDIOS DÍAS, O SEA QUE....

837

$$\frac{\begin{array}{r} 6 \\ \times\ 2 \end{array}}{\text{SON } 12} \quad \begin{array}{l} \text{MEDIOS DÍAS} \\ \text{METROS} \\ \\ \text{METROS} \end{array}$$

Solución: levantará 6 ó 7 metros, porque en este país nadie quiere trabajar.

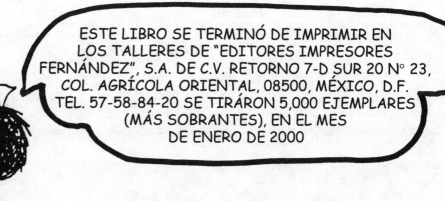

ESTE LIBRO SE TERMINÓ DE IMPRIMIR EN
LOS TALLERES DE "EDITORES IMPRESORES
FERNÁNDEZ", S.A. DE C.V. RETORNO 7-D SUR 20 N° 23,
COL. AGRÍCOLA ORIENTAL, 08500, MÉXICO, D.F.
TEL. 57-58-84-20 SE TIRÁRON 5,000 EJEMPLARES
(MÁS SOBRANTES), EN EL MES
DE ENERO DE 2000